나 안아주기 연습

김윤경 시집

나 안아주기 연습

김윤경 시집

목 차

살아가야 하는 이유

문득 떠오릅니다.
어릴 적에도 늘 삶이 힘들다는 생각을 했던 기억이 말이죠
그 마음이 겉으로 티가 나지 않았을 뿐이지
전 아직도 삶이 쉽지 않습니다.

세상에 태어난 이유가 분명 있을 텐데요
이렇게 살다가 다시 본향으로
돌아가는 인생의 여정이 다가 아니겠지요?

요즘 들어 더 깊이 생각하게 되는 물음입니다

그래서 다시 찾아봅니다
누군가의 제가 아니라
이루어야 할 목적이 무엇인지를…
그 목적은 성취해 보고 삶을 마감해야 하지 않을까요?

어릴 적 티브에서 보았던 연예인들이

나이가 들어 이 세상을 떠났다는 소식을 듣게 됩니다.
앞으로도 그런 소식들이 더욱 많이 들릴 테지요…

세월을 흘려보내면서
늘 제 곁에 당연히 계속 있을 것 같은 인연들도
이제는 언제 못 보게 될지 모를 삶이라는 걸
새삼 깨닫게 되는 요즘입니다.

아직도 먼 장래희망

많은 세월을 보낸 적지 않은 나이에
무엇이 되고 싶은지 아직도 깊은
고민에 빠져있는 제가 있습니다

불확실한 다른 일을 꿈꾸며
자꾸만 시도해 보려는 제 자신

가보는 게 맞는 걸까요?
멈추는 게 맞는 걸까요?
진작에 해보았더라면?
성공할 수 있지 않을까요~?
혹시 실패하게 된다면~?
고생을 다시 시작해야 할까요?

신께서 저에 대한 계획을
쓰신 책이 있다면
몰래 커닝하고 싶습니다

8

그 계획을 알면 고민하지 않고

결정하기 쉬울 텐데 말이죠…

그냥 그렇다고요~

내가 아닌 다른 사람에게 맞추기 위해
너무 애쓰지 말아요~
사람의 기준은 천차만별이라 모두에게 맞추려면
몸도 마음도 어려워져요~

다른 사람의 눈빛과 표정으로 인해
나의 기분이 좌지우지되는 상황을 만들지 마세요~
그 사람의 기분 때문에 나의 일상이
흔들릴 수는 없잖아요~

누구도 나를 대신할 수는 없어요.
나 대신 헌신해 줄 사람도 없어요~
자신을 아껴주었으면 좋겠어요~

오늘도 사느라 애썼다고
자신을 토닥여 주었으면 좋겠어요
독백입니다

10

그냥 그렇다고요~

나만 그런 줄 알았더라~~

그 많던 자신감이 소극적으로 변화되고
나이가 들어가면서 나에 대한 확신이 사라져 가더라~
그런데 알고 보니 나같이 느끼는 사람들이 의외로 많더라~

약함을 인정하고 있는 그대로 연약함을
고백하는 사람들을 보니
공감이 되어 괜스레 좋아지더라~

나만 이상한 줄 알았는데
많은 사람들 중 한 사람에 속한 것 같아서
그냥 위로가 되더라~
그렇게 인정해 버리니 마음이 편해지더라~

나 같은 사람들이 있다니 이제라도 알아서 다행이더라~
그동안 나만 그런 줄 알았더라~

나의 비움

생각을 내려놓았습니다
삶에 대한 계획과 기대함 또한
내려놓았습니다.

시간이 그냥 그렇게 흐르는 것을 바라보며
가만히 신께 모든 것을 맡겨드렸습니다

오랜 시간 기다리셨나 봅니다
나의 시선이 온전히 신께 집중되기를…

요즘은 선물 같은 일들이
나에게 주어지는 것을 바라봅니다
평안과 고요함이 나의 마음에
깃드는 것이 느껴집니다

제가 어린아이였을적에
부모님께서 나의 삶을 온전히

책임져 주셨을 때처럼

그러한 안전함과 보호하심이

어린아이 같이 여려진 내 마음에

전해지고 있습니다

저에게 작은 소망이 있다면

신의 일하심을 온전히 깨닫게 되는 것

저를 향한 계획이 있으셨다면

그 계획을 이제는 이루어드리기를

간절히 바래봅니다

어떤 스토리 책?

어떤 변화도

거의 일어나지 않는 인생

이 맛도 저 맛도 아닌 밍밍한 맛~!

이런 삶을 글로 쓰면

재미없는 글

잘 안 읽히는 책

온갖 고통과 고난의 연속

말도 안 되게 계속되는

우당탕탕 험난한 인생~!

이런 삶을 멋지게 극복하고

성숙한 경험을 글로 쓰면

사람들에게 도움을 주는 베스트셀러~!

내 인생은 지루한 거와

거리가 먼 스토리

그럼 내 인생은 어떤 스토리 책?

미로 찾기 인생

인생은
미로 찾기인가 봅니다.

복잡한 인생길을 살아가면서
어느 때는 가던 길이 막히고
미궁에 빠져
출구로 나오는 길을
헤매게 되는
경험을 합니다

막힘없이 잘 가게 될 때에는
최종 목적지에 금방 가게 될 것 같다가도
중간에 여러 가지 어려움을 만나게
돼버리기도 하는 게 인생인가 봅니다

저마다 다 다른 미로인생
그래서 정답이 없는 인생사들

모든 생애에
입구와 출구는 같아도
길과 목적은 다른 삶
그 목적을 깨달아 이루는 일이
내가 살아가야 하는 진정한 이유이겠죠

목적을 빨리 깨달아 알아차려
속히 이루어드리는
제가 되기를
소망해 봅니다

가치

사람의 생각과 말, 언어가 곧 그 사람입니다
그렇다면 마음은 그 사람의 인격이지 않을까요?

삶의 가치…
시간의 가치…
사람의 가치…

우선순위에 둘 중요한 삶의 가치들…

생각과 선택의 결정에 의해서
삶의 성장과 인생이 좌우되기 시작합니다

그렇기에 올바른 선택을 해나가는
제가 되기를 간절히 바래봅니다

마음 지키기

그동안 생각이 제일 중요한 줄 알았습니다
그래서 마음보다 생각이 우선인 줄 알았습니다
많은 것을 겪어내고 있는 요즘…
그게 아니었나 봅니다

그 무엇보다 마음이 중요하다는 사실을…
마음을 지켜내지 못하면
모든 것이 무너질 수도 있다는 것을…

하늘에서 비치는 은혜의 빛을 바라보며
마음에 평안이 잔잔하게 임함을 느낍니다
이제야 조금은 편안히 숨을 내쉬는
나를 바라봅니다

수많은 사람들이 대단하게 느껴집니다
희로애락을 다들 겪어내었을 그들의 삶

아팠을 텐데…
슬펐을 텐데…
무서웠을 텐데…
외로웠을 텐데…

생각할 겨를 없이 정신없이 살아가던 제가
침묵을 배우고 고요함을 찾기 시작합니다

신은 반백년 살아가는 제게 무슨 기대가 있다고
계속 저를 다듬고 깨닫게 하실까요…

이번에도 삶을 아프게 배웠습니다
고통스러웠지만 저에게 약이 되었던 시간이었기에
이 경험을 허락하신 신께 감사드립니다

인생의 밤

그 어느 때보다 더
칠흑같이 어두운 이 밤

아무것도 안 보이고
오직 하늘의 희미한
불빛만 바라보고
있습니다.

아주 오래전 인생의 밤을
지나왔던 때를 떠올립니다
어떻게 그 시간들을 지나왔을까요…

나이가 들어가며
마음도 늙어가나 봅니다
강했던 내 마음들이
아이처럼 여려고 여려
조금만 건드러도

움츠려듭니다

다시 하늘의 도움만
구하며 기다리고 있습니다
지금 이 시간이 웃으며 떠올리는
추억 속 시간들이 되기를…

삶의 시간…

삶의 끝을 기다리는
그분들을 바라보며
인생을 생각해 봅니다

그 누구보다도
바쁘고 치열하게 살아가던
제가 잠시 멈춰 섰습니다

인생 뭐 있나…

그분들이 지금 원하는 것은
돈과 좋은 집이 아니라
가족의 정과
이웃의 정인 듯싶습니다

백세 할머니께서 말씀하십니다
'선생님. 나 어떻게요?

이제 눈도 안 보이고, 다리도 아파
혼자 걷지도 못해요. 나 이제 어떡해요⋯'

병원에서는 노환이라
약도 소용없답니다

백세 가까이 되신 어르신들의
자녀분들도 노인이시라
자주 찾아뵙지도 못하는 현실⋯

그저 밤새 안녕하신지⋯
마음과 몸이 편안하시도록
가족을 대신해
돌봐드리는 것 외에
해드릴 게 없습니다

요즘 점점 가족에 대해
생각하게 됩니다
아직은 정정하신
저희 부모님께 너무
감사한 마음이 듭니다

토닥임···

오늘도 하루를 살아내었습니다.
그 하루가 또 하루를 더해
지금이라는 시간까지 살아내었네요.

어떤 날은 버티고 버텨···
또 어떤 날은 가볍게 지나가고···

오늘의 하루는 삶의 희로애락 중
무엇이 다가올지 모르는···
정답을 계속 찾아 헤매는
숨바꼭질 같은 삶의 여정 같습니다.

어떤 날은 용기가···
어떤 날에는 격려가···
가끔은 사랑과 인내가 필요한
그런 날도 있음을 느낍니다

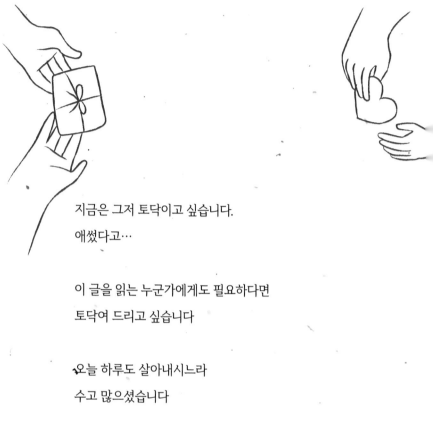

지금은 그저 토닥이고 싶습니다.
애썼다고…

이 글을 읽는 누군가에게도 필요하다면
토닥여 드리고 싶습니다

♪오늘 하루도 살아내시느라
수고 많으셨습니다

지금 나에게 삶은…

삶은 자신이 설계해서 살아지는 것 같아도
뜻대로 되어지지 않는게 인생인 것 같습니다

앞만 바라보며 정신없이 달려가다가도
신이 브레이크를 걸어버리시면
그대로 설 수밖에 없는 것입니다

가끔 생각해봅니다.
삶에 예행연습이 있다면 얼마나 좋을까요…
그랬다면 하지 않아도 되는 선택과 실수를
경험하지 않아도 되었을 텐데 말이죠…

반백년 정도 살아가면
전보다 현명하고 지혜로울 줄 알았습니다
더욱 씩씩한 자신감으로
살아가겠다 싶었습니다

그러나
막상 그 세월을 맞이해보니
삶이 더 조심스러워집니다.
사람들은 더욱 어렵게 느껴집니다
백프로라는 정답이 없는 삶의 미래는
확신이 생겨지지가 않습니다

점점 신의 영역을 바라보게 됩니다.
신이 함께하지 않으시면
한걸음 발걸음을 걸어갈 힘조차
생겨나지 않을 때가 있습니다

벼는 익을수록 고개를 숙인다고
살아갈수록 더욱 겸손을 배우라고
하는가 봅니다

불가능

가끔
아주 가끔은
예전 어느 시점으로 되돌아가서
그때의 선택과 행동을
돌이킬 수 있다면 얼마나 좋을까?
하는 마음이 들 때가 있습니다

안된다는 건 알지만…
소용없다는 것도 인정하지만…
그때 했던 결정이 이렇게 후회로 남게 되는
선택인지 정말 깨닫지 못했더랍니다

간절히 바래서인가요?

어떨 땐 가끔 후회했던 결정을 하고 힘들어했는데
다행히 꿈 일 때가 있었습니다
그땐 얼마나 다행스러웠는지요…

너무 깊게 잠들다 깨어나버리면
어떤 게 꿈이고 현실인지
헷갈릴 때도 있습니다

삶이 버거울 때는
이 모든 게 꿈이라면 얼마나 좋을까?
바래도 봅니다

그건 불가능이겠지요
빨리 꿈을 깨고
현실로 돌아가야겠습니다

마감인사

오늘 하루 어땠어~?
비가 와서 조금 추웠지?
따뜻한 차로 몸 좀 녹였을까?

오늘 하루도 살아내느라
수고 많았어~!

열심히 살아내는 만큼
앞으로 좋은 일이
많이 생겨날 거야~!^^

진짜야~!
내 말 좀 믿어봐~!
오늘도 잘해 냈잖아~!

이렇게 하루만
잘 살아가면 되는 거야

하루는 삶의 기적을 만드는
씨앗이거든~!

그 하루들이 쌓여
너의 삶을
멋지게 완성시킬 거야!

내가 옆에서 바라봐주며
응원해 줄게~!
함께 잘해보자고~!^^
아자! 아자~!

들어보시오

님아
나의 마음과 생각이
시간을 조금 흘려보내서야
이제 좀 정리가 되는 듯 하오…

한 조각 세월을 보내고 나니
진흙같이 질퍽했던 나의 마음이
비 온 후 단단해진 온전한 땅처럼
조금은 굳건해졌나? 하는 생각이 든다오…

어설펐던 나의 행동과 생각이
이제는 올곧게
판단하며 처신할 수 있는
조금은 철이 들이든 사람처럼
그렇게 조금은 성장한 듯 하오…

갈대같이 여기저기 흔들렸던

나의 생각들이

바람의 방향이 눈에 보이는 듯

나의 눈에 지혜가 조금은 담긴 듯하다오

이런 생각으로 바뀐 나를 향해

앞으로 더 나은 삶이 될 거란

기대를 가져도 되겠소?

갑자기 찾아드는 옛 기억…

가을을 지나
겨울 문턱에 이르러서야
스멀스멀 올라오는
옛 기억을 따라
다시 추억의 장소로
찾아들었습니다

소박하게 즐거웠던
옛 추억이
저에게만
찾아들었던 것이
아니었나봅니다

하나둘씩 찾아오는
반가운 님들
그대들도 즐거웠던
그 시절이 그리웠습니까?

흐르는 시간만큼

많은 것이 변한 현실과 감정들…

그냥 이렇게 흔적들을 바라보며

오늘도 조용히 마음을 달래봅니다

마음 치유약

하루종일 마음을 생각하고 있어
그동안 마음을 나몰라 했거든
외면하고 무심하면
마음이 무뎌질 줄 알았지
어쩌면 그렇게 되길 기다리고 있었지

들여다봐주고 신경 써줬다면
연고하나 발라주고 끝났을 텐데…
속이 곯고 상처가 깊어졌네…
무관심이라는 마취제가 잘 들었는지
이 정도까지 되어버린 줄 알아차리지 못했지

연약해져 버린 마음을 살살 달래줘야 해
건들면 따가운 마음에 솔솔 약을 뿌려줘야 해
불안해져 버린 마음을 따뜻하게 감싸줘야 해

마음에 힘이 생겨나도록…

마음이 건강해지도록…
그래서 마음이 다른 마음을 충분히 품을 수 있도록
회복된 마음이 다른 아픈 마음을 어루만져 줄 수 있도록
그렇게 치유되게 애써줘야 해~
그렇게 회복되게 도와줘야 해~

시절 인연

사람과 사람의 만남 이것은 만남의 인연
세상엔 우연한 만남은 없는 것입니다
스치는 인연도 인연인 것입니다

헤어짐이란 시기만 다를 뿐
시절마다 만남의 오고 가는 시절이 있습니다

인연의 시간은 내 하기에 달려있습니다
아니 어쩌면 내 의지와 상관없이
의도치 않게 금방 끝나버릴 때도 있는 듯합니다

예정된 인연이라는 것이 존재할까요?
모든 만남이 우연으로 시작된 듯 보였다가
인연으로 이어지는 것일까요?

이별하였다가 누구 하나라도 헤어짐은 원치 않는다면
결국엔 다시 만나게 될까요?

사람의 마음엔 어떤 끈이 존재한다고 합니다
그 끈을 놓지 않길 바라는 사람은
언젠가 다시 만나지겠지 라는
소망을 그리며 살아갈 테지요

인
연

친구 구별법

계절의 변화를 알아차리고
이야기하는 사람은
괜찮은 사람이야
감성이 살아 있어
마음 나누기에
좋은 친구가 될 수 있거든~!

대화 중에 유머로
받아칠 수 있는 사람은
괜찮은 사람이야
고통을 이겨낼 수 있는
힘을 가진 사람이거든~!

음악을 좋아하고
자연을 사랑하고
글을 쓰는 사람은
괜찮은 사람이야

마음에서 나오는
영혼의 울림이 있어
너를 공감해 줄 수 있는
사람일 수 있거든

어른이 되어도
좋은 친구를 만나야 해
나는 좋으면
금방 물들어 버리거든

그런데 말이야
나는 계절의 변화도 알고
유머도 조금 할 줄 알고
음악과 글도 좋아하고
자연을 사랑하지…
그렇다면 누군가에게
나도 좋은 친구가

되어 줄 수 있겠지?

좋은 친구

여행길

인생길을 삶의 여행이라고 표현하는 글을 본 적이 있습니다.
그렇다면 나는 지금 여행의 어디쯤 와 있는 것일까요?
여행은 언젠가 출발했던 곳으로 다시 되돌아가는 것일 텐데
언제쯤이면 시작점으로 되돌아갈 수 있을까요?

이 여행을 마칠 때쯤 나는 어떻게 변해 있을까요?
그래도 처음보다는 많은 것들을 보고 경험하면서
철들고 깨달아지는 것들이 있겠지요?

나의 삶에 관한 여행계획과 스케줄은 누가 정하는 것이며
그 계획대로 여행경험이 딱딱 맞춰지기는 하는 것인지…

아주 오래전 어릴 적 꾸었던 꿈이 기억이 납니다
꿈에서 어린 아기가 천국에서 예쁜 옷과 바구니를 들고
이곳저곳 놀러 다니다가 다리를 건너
세상으로의 여행을 시작하던 아직도 그 모습과 느낌이
생생하게 떠오르는 나의 꿈!

언젠가 세월이 흘러 행복하게 뛰놀던 천국으로

돌아갈 수 있겠지요?

천국소망을 마음에 품고 오늘도 이렇게 살아갑니다

그래 그럴 수도 있지~

살다 보면 마음이 심란해져
화가 날 때도 있고
상처를 받을 때도 있지~
그럴 때는 주문처럼 되뇌지~
그래~ 그럴 수도 있지~

어차피 한번 사는 인생
화를 낸들, 소리를 지른들~
바뀌는 게 있겠는가~
그저 내 마음만 고통스럽게 될 뿐~
나에게 득이 될게 하나 없더라~

그래서 되뇐다~
그래 그럴 수도 있지~
그럴 수 있는 거야~~

나는 그렇게 하겠다.

과거의 실수 때문에 우울해하지 않겠다.
그건 다 지나간 일이니까…
되돌릴 수 없다면 그냥 경험했던 기억으로
그렇게 보내주겠다

아직 겪지 않는 일들로 인해
걱정해하며 불안해하지 않겠다
겪게 되었을 때 충분히 올라오는 감정을
그때 느껴봐도 늦지 않을 테니까
미리 앞당겨서 불안해하며 안절부절못하지 않겠다

지금을 살겠다.
현재 상황을 바라보며
부정적인 시선보다는 긍정적인 마음으로
지금의 누리는 모든 것에 감사하며 살아가겠다

나는 선택하겠다

지금의 나의 감정을…

가슴 깊은 곳에서

서운함과 슬픔이 꿈틀 되어 올라오지만

상황을 바꿀 수 없다면

나를 기쁘게 하는 것들에

더 집중을 하며 행복하기로 결정하겠다

깊은 밤 깨어있는 이 느낌

많은 사람들이 잠들어 있을 밤 깊은 시간…
적막하고 고요한 이 시간에 홀로 깨어있음이
나는 참 좋습니다

아는 사람만 알 것 같은 이 기분과 느낌은
나에게 특별한 시간으로 다가와
잠이 드는 것이 아까울 때도 있습니다

모든 것이 멈춰버린 듯한 지금 이 시간 속에
잠들지 않고 깨어있는 나는 별난 사람인가?
하는 생각이 들기도 합니다

깊은 밤에야 느껴지는
이 느낌을 좋아하나 봅니다
조용한 적막함이 느껴지는
이 시간이 저에게는 필요했나 봅니다

잘 웃고 농담을 잘하는 사람들…

주변 사람들 중에 만나면 늘 유머와 웃음이
가득한 사람이 있습니다
언제나 밝고 경쾌한 성격 탓에
부유하게 자라 좋은 직장에 다니는
사람이라 여기며 바라봤었죠~

나중에 알게 된 진실은 그 사람은 정말 가난했고
삶의 고통 속에서 자라왔고
현재도 어려운 가정형편에 삶의 고단함은
계속되고 있었다는 사실입니다

모든 사람들이 그런 건 아니겠지만
언제부터인가 잘 웃고 농담을 잘하는 사람을 바라보면
특별히 많이 울어 보고 아픔을 많이 겪어본 사람이라는
생각을 하게 되었습니다

깊은 아픔을 겪고 또 견뎌내면서

50

농담으로 그 아픔을 초월해 버리는 사람들…
웃어야만 현실을 극복하고 이겨내기 쉬웠을 사람…
가끔은 짠하고, 가끔은 존경스러워지는…

이런 사람은 삶의 향기가 다릅니다
생각의 깊이도 다릅니다
크고 작은 고통을 소화시키며 이겨내는 연습을
수도 없이 많이 했던 사람이니까요

생각과 말

어떤 생각을 하루종일 하느냐에 따라
나의 입에서 그 생각이 나오게 됩니다
그렇기에 긍정적이고 좋은 생각을
해야 합니다

그 생각이 나의 삶을 이끌고
인생을 좌지우지할 만큼
영향력이 크기 때문입니다

선한 말과 소망의 말을
소리내야 합니다

이런 말은 내가 살아가야 하는
이유와 힘을 줍니다
때로는 상대방이 살아가는데
도움을 주기도 합니다

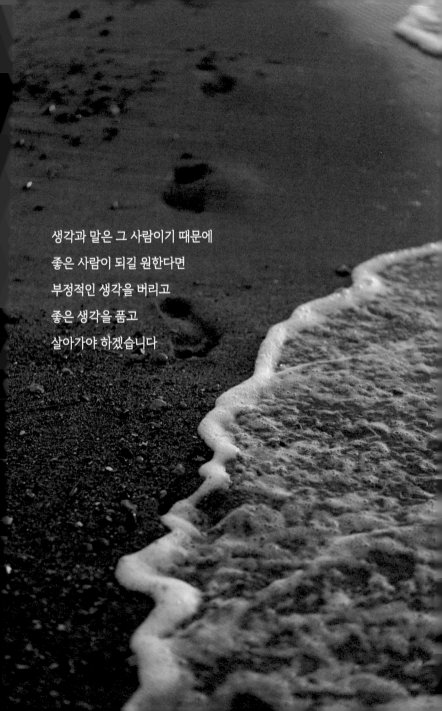

생각과 말은 그 사람이기 때문에

좋은 사람이 되길 원한다면

부정적인 생각을 버리고

좋은 생각을 품고

살아가야 하겠습니다

삶의 안부

92세 어떤 할머니께서
인생을 살아가시면서
가장 후회하신 점을 말씀하시길

"마지막에 웃는 놈이
좋은 인생인 줄 알았는데
자주 웃는 놈이 좋은 인생이었어~!

사람은 언제 마지막이 될는지
아무도 모르는 인생사

반백년 가까이 살아오다 보니
정말 많은 것들이
세월과 함께 지나가는 것을
경험하게 됩니다

하루를 살아내고

54

또 하루를 견디고…

이 세상 인생길에

수많은 사연을 마주하며

이제는 고난뒤에 조금은 초연해지고

서프라이즈 선물처럼

단단해지는 나를 바라봅니다

울어도 하루가 지나가고

웃어도 하루가 지나가더랍니다

이왕이면 자주 웃으며

좋은 인생길을 살아가렵니다

마음에 색이 담겨 있다면~

보이지 않는 마음은 무슨 색일까?

아이들을 향한 나의 마음은 노란색~!
밝고 명랑한 귀여운 느낌의 개나리꽃
노란색이 떠오르지~

직장 동료들은 파란색~!
무언가 차분하고 침착한 기분의
파란색이 생각이 나~

나의 친구는 초록색~!
쉼을 주고 편안한 휴식을 주는 나무가 떠오르거든~

지금의 나는
무슨 색이냐면…
바로~ 회오리바람색~!
무언가 섞여 있는 색들이 휘몰아치듯 휩쓸고 가는

고난과 아픔의 색

잡히지 않는 바람색

그게 나에 대한 마음의 색인 것 같아~

이 모든 걸 금하노라~

드라마 응답하라 주제곡들이 흘러나와~
노래와 함께 떠오르는 옛 추억들…
다시 느껴지는 아련했던 감정과 기억들…
그리워~~ 그리워~~!
당분간 음악감상 금지~!

몇 년 만에 극장에서 영화 한 편 보았지~~
주인공들의 에피소드~!
나도 저 시절을 살아내었는데~!
언제 이렇게 나이가 들었지?
그땐 몰랐었네~!
그 모든 기억들이 추억이 되어
떠올리게 될 줄을…
훗날에는 지금을 추억하게 되겠지?
스멀스멀 올라오는 센티해지는 이 느낌…
당분간 영화감상도 금지~!

이런 기분에 사로잡혀 있으면
빠르게 해내는 모든 일정이
밀리기 시작~!
스케줄에 브레이크 걸리기 시작!
예전에 충분히 공감하고 느껴줬으니
이제 사양해도 되는 경험들…

새벽녘에
잠에 취해 횡설수설 스스로에게 고하는
혼잣말…
너에게 이 모든 것을 금하노라…

그 기술 전수받고파요~

사는 게 뭐라고
한숨 돌릴 틈 없이
빠르게 지나가는 시간들…

그 세월 속도 맞추느라
정신없이 움직여주면
어느새 깊은 밤…

요즘 밤하늘은 어찌 생겼나요?
별들은 아직 살아있나요?

시간에 쫓기듯 살지 말고
시간을 여유 있게 관리하라고
말씀하신 분은 어디 계시나요?
그 기술 전수받고파요~

생각은 너무 빠르게 움직이고~

몸이 그 생각을 따라잡지 못할 때
가끔 몸이 성질이 나나 봐요~
그럴 땐 파업을 선언해
나를 꼼짝 못 하게 해요~

계획했던 모든 스케줄 정지!
어떻게든 마구 대모 하는 몸살을
살살 달래줘야 해요~

몰래몰래 다시 움직이기 시작할라치면
더 꽁꽁 묶어두려고
그 느낌 몸으로 보여줘요~

빨리 항복하는 게
현명한 결정일껄요~?
오랜 세월 몸소 겪어본 지혜랍니다~^^

올 한해에도
행복하게 보내려거든
아프지들 맙시다~!^^

여행

숨 가쁘게 살아온 나날들
돌아보니 나를 잊은 채 살아왔네요
오늘 만큼은 일상을 벗어나
설렘 가득 여행을 떠나보아요

힘겨웠던 많은 일들과
낯선 사람들 사이
고단함은 잠시 접어두고
가슴에 쉼터하나 만들어봐요

팽팽해서 금세 끊어질 것만 같았던
삶의 끈을 오늘만큼은
잠시 서풍에 몸 맡긴
연실처럼 풀어보기로 해요
가벼운 마음으로 재잘대요
손잡고 함께 걸어가요

아픔은 하늘 위로 던져 버려요
슬픔은 저 강물에 띄워 보내요
새들은 노래하고
꽃들은 춤출거예요
구름마저 솜사탕이네요

삶에 지친 얼룩진 마음에
단비처럼 음악을 틀어요
어젯밤 폭풍은 아침 되면
싱그런 햇살로 채워질 거예요

오늘만큼은 일상의
근심걱정 벗어던지고
이 시간을 함께 노래해요
내일 일은 내일 걱정해요

행복한 소풍

인생이란 항로에서
누리는 행복한 여행길 소풍

아름다운 노랫소리와
통기타의 선율은
여태 숨죽여 살아온
고된 날들 위로하네요

어디론가 떠나고 싶을 땐
잠시 지금은 내려놓고
함께 해봐요~

지나 보니 산다는 건
꼭대기가 아니라
이 작은 행복을 위해
살아왔다는 걸

가는 길마다 흥겨운 콧노래
가는 곳마다 설렘 한가득
우리의 삶도 소풍 가듯
살아내기로 해요

기분 좋은 선물 같은 날~!

여행은 즐겁습니다.

먼 곳을 가도~

가까운 곳을 가도~

놀러 가는 기분에

마음을 들뜨게 합니다

여행은 늘 있던 자리에서 벗어나

쉼을 찾아가는 기분이 들게 합니다

아무것도 하지 않아도

누가 뭐라고 하지 않고

마음껏 놀다 오면 되는

기분 좋은 선물 같은 날~!

여행을 다녀오면 기분전환에

한결 가벼워진 마음으로

일상을 회복하게 됩니다

누군가는 이 세상에 소풍을
온 것이라 말합니다
그래서 매 순간 즐겁고 의미 있게
지내다 가라 합니다

그렇게 생각하면
삶이 덜 힘들겠지요
사는 게 덜 무겁게 느껴질 수 있을 테지요

사랑 너 감기랑 친구지?

사랑과 감기가 왜 닮았는지 알아?

그건 둘 다 숨길 수 없기 때문이야~

사랑에 빠진 사람도

감기에 걸린 사람도

결국에는 티가나게 되어있거든~

사랑에 언제 빠지고

감기는 언제 걸리는지 알아?

그건 아무도 모를걸~

자신도 모르는 사이에 스며들고

걸려버리는 거거든~

오늘부터 사랑해야지~!

지금부터 감기 걸려야지~!

요이~땅! 한다고 되는 게 아니거든~!

그건 생각이 아니라 감정과 몸의 소관이거든~

사랑과 감기에는

백프로된 면역력이 없다는 거 알아?

똑같은 사랑도 없고

감기도 증세가 다 달라서

온전한 면역력이 없다고 봐야 해~

사랑하고 이별한 이에게

또다시 사랑에 안 빠진다고 말할 수도 없고

감기 걸렸다 완치된 이에게

또다시 안 걸린다는 보장을 아무도 못하지~

어때?

사랑과 감기는 조금 닮아 있는 거 같지 않아?

닮은 너희 사랑과 감기야~!

친구 해라~

친구해~~!^^

TO. 나에게

널 아껴줄게~!
외면해 버리는 습관에 많이 서운했지?
이제 관심을 가져줄게

보듬어 줄게~!
아프면 댓가라 여기라고 무심히 그냥 놔둬버려서 더 아팠지?
안 그러도록 노력해 볼게

이해해 줄게~!
결과야 어떠하든, 그때는 최선을 다한 거라고
이제는 생각해 줄게

인정해 줄게~!
너는 다른 사람들과 다름을, 그래서 이상한 사람이 아님을
받아 들어줄게

지지해 줄게~!

이제는 네가 하고픈 비전을 향해 더 늦기 천에 나아가봐

더는 말리지 않을게.

사랑해 줄게~!

스스로 사랑하지 않으면 누굴 사랑할 수 있겠니?

쉽지 않겠지만 사랑하도록 시도해 볼게

기다려 줄게~!

너에게 이 모든 걸 해준 적이 별로 없어서 쉽지는 않겠지만…

버릇이 되어, 습관이 몸에 베일수 있도록 이제 시작해 볼게

모든 것을 놔버리지 마~

벌써 이만큼이나 와있는데…

난 널 포기하지 않아…

지나간다고요?

이 모든 일들이 곧 지나갈까요?

극복될까요?

잊힐까요?

흐려질까요?

아무 일 아니었던 것처럼

추억하는 시간들이 나에게도 다가올까요?

그렇다고요?

어찌 아나요?

경험해 봐서?

누군가가 그래서?

아니면 겪어보고 있어서?

생각해 봅니다

피에로가 어때서?

나는 결정했다네
생각을 따르기로~
절충이란 건 성립되기 어려웠거든

감정을 묻어놓기 위해
마음속 깊이 공간을 준비하고
하나씩 하나씩 넣어 덮어버리고 있지

나를 위한 건 생각하지 않기로 했어
그래야 다른 이들이 전부 행복할 수 있거든
말했잖아
타협이란 건 있을 수 없다고…

아직 느껴지는 감정이 남아있나 봐
눈물이 흐르네
슬픔도 느껴지네
이제 곧 무뎌질 느낌들…

난 다시 피에로가 될 거야

나로 살고 싶다던 생각…

너무 욕심이었나 봐…

잠시 잠깐 그리 살았던 기억으로…

그리 살아봤던 추억을 떠올리며

가끔씩 꺼내보며 그리 살아가려 해

감정을 느끼지 않는

초연함을 간직한 채

남들이 원하는 표정을 지으며

피에로가 되어 살아가려 하네…

생각과 마음은 별거 중

요즘 생각과 마음이 조율되지 않아
각방 사용 중이야

생각은 이성적이라 차근차근 설명을 하지
어찌어찌 살라고 끊임없이 잔소리를 하고 있지

마음은 생각의 의견에 동의는 하지만
감정이 그렇게 놔두질 않아 고민을 계속하고 있지

그런 마음을 두고 생각은 속 터진다 하지
이성적이지 않는 마음을 향해 실망감을 감추지 못하지

마음도 속상해하며 깊은 방 속으로
꼭꼭 숨어버리듯 들어가 버렸지

이제 결론을 내자
생각 따라갈래? 마음 따라갈래?

인생의 결

어느덧 이리 살아 여기까지 왔습니다
무엇에 가치에 두고 살아왔는지 모를
분주하고 바쁘게 달려온 나의 삶

이제는
시간적 여유가 있어 이러는 걸까요?
정신적 여유가 생겨나 이런 생각이 드는 걸까요…

내가 무엇을 원하며 살아왔는지
나 자신에게 관심도 없었던 내가
몰랐던 나의 내면을 만나며 달라지고 있습니다

내가 무엇을 원하는지…
바라는지…
어쩌면 타인의 배려는 접어두고
나만의 이기적인 욕심으로
선택해버리고 싶다는 생각이 듭니다

나중에는 후회할 줄 알면서도…
이번에는 두 눈 찔끔 감아버리고
모른 척해버리고 싶습니다

예전의 자아가 찾아옵니다
지금의 자아가 문을 열어주지 않으려 합니다
어떤 선택이 옳은 길인지 알 수 없어
그저 가만히 있는 나 자신입니다

사랑을 대하는 태도

사랑은 어떤 대상을 몹시
귀하게 여기는 마음이다
수많은 사람들 중에 사랑으로 이어진다는 것은
기적 중에 기적이 아닐 수 없는 것이다

내가 생각하는 사랑의 행동은 표현이다
감정에 솔직해야 한다
감정을 아끼지 말고 때마다 다 써줘야 한다
말과 삶으로 표현해줘야 한다
영원한 감정은 없는 것이다
그렇기에 매 순간 진실하고
바로바로 표현돼야 하는 것이다

내가 생각하는 사랑은
사랑에 대해 독립적이 되어야 한다
나 자신부터 사랑에 바로 서 있어야
폭풍 같은 시련을 만나게 될 때

중심을 바로 잡을 수 있는 것이다
사랑에 기대고만 있는 사랑은
그 사랑이 사라지면
무너져 버릴 수밖에 없게 되는 것이다

감정을 다 표현하면 미련이 남지 않는다
후회함도 생기지 않는다
그 사랑에 기대지 않았기에
이렇게라도 견디며 살아지게 되는 것이다
이것이 사랑을 대하는
나의 태도인 것이다

나 안아주기 연습

발 행 2024년 5월 6일
저 자 김윤경
펴낸이 허필선
펴낸곳 행복한 북창고
출판등록 2021년 8월 3일(제2021-35호)
주 소 인천 부평구 원적로361 216동 1602호
전 화 010-3343-9667
이메일 pilsunheo@gmail.com
홈페이지 https://www.hbookhouse.com
판매가 9,200원
ISBN 979-11-93231-11-1 (03810)